J. R. Barat

Cómo ser genial

con valores y emociones

Ilustración:
Francesc Rovira

b Bruño

Valores

GENEROSIDAD

Aprende a ser generoso
y a compartir con la gente
—sin exigir nada a cambio—
todo aquello que posees.
El que da siempre recibe
y multiplica sus bienes.
Deja las tacañerías
porque no te favorecen.

La venganza es un placer que dura solo un día.
La generosidad, en cambio, es un sentimiento
que te puede hacer feliz eternamente.

ROSA LUXEMBURGO (1871-1919)
Política polaca de origen judío

BONDAD

Las personas bondadosas
brillan de un modo especial,
como pequeñas libélulas
de luz en la oscuridad.
Haz el bien siempre que puedas.
Así te convertirás
en alguien maravilloso
y la gente te querrá.

La mejor vida no es la más duradera,
sino aquella que está repleta de buenas acciones.

MARIE CURIE (1867-1934)
Científica polaco-francesa

RESPONSABILIDAD

El que es serio y responsable
cumple con su obligación
y lo hace gustosamente,
dando de sí lo mejor.
Si pones todo tu empeño,
trabajo y dedicación,
sin duda recibirás
la matrícula de honor.

Tienes una gran responsabilidad:
eres la única persona que puede crear el futuro que quieres.

LAILAH GIFTY AKITA
Científica y escritora ghanesa en activo

8

CREATIVIDAD

Nunca temas la aventura
de la creatividad.
Verás el mundo de un modo
alegre y original.
Arriésgate, experimenta
y así te divertirás.
Y si acaso te equivocas,
pues lo vuelves a intentar.

Piensa. Sueña. Cree.
Pero, sobre todo, atrévete.

WALT DISNEY (1901-1966)
Animador y guionista estadounidense,
fundador de The Walt Disney Company

10

SINCERIDAD

Pocas cosas valen tanto
como la sinceridad:
el arte de no mentir
y de decir la verdad.
Si eres sincero y honrado,
todos te respetarán.
Acuérdate de estos versos
y no te arrepentirás.

Mejor que con palabras,
la sinceridad se muestra con acciones.

WILLIAM SHAKESPEARE (1564-1616)
Escritor inglés

RESPETO

Por favor, muestra respeto
hacia el mundo en que vivimos
y trata a tus semejantes
con simpatía y cariño.
Animales, hombres, plantas,
montañas, bosques y ríos.
Si respetas todo esto,
te respetas a ti mismo.

Si algo he aprendido en la vida es a respetar a los demás.
Es decir, a no perder el tiempo intentando cambiar
el modo de ser del prójimo.

CARMEN MARTÍN GAITE (1925-2000)
Escritora española

14

AMISTAD

La amistad es un tesoro
que tú debes conservar,
pues lo forman las personas
que te quieren de verdad.
Con los amigos compartes
agua, risa, pena y pan.
Y todo lo que la vida
generosamente da.

Todo lo que importa son esos amigos
a los que puedes llamar a las cuatro de la madrugada.

MARLENE DIETRICH (1901-1992)
Actriz y cantante alemano-estadounidense

ESFUERZO

Solo el que se esfuerza puede
cumplir todos sus deseos.
Trabajar y no rendirse:
esa es la clave del éxito.
Pelea por lo que ansías
y no escatimes esfuerzos.
Con esta sencilla fórmula
podrás conquistar tus sueños.

Esfuérzate por conseguir
tu más ardiente deseo y acabarás consiguiéndolo.

LUDWIG VAN BEETHOVEN (1770-1827)
Compositor y músico alemán

18

GRATITUD

La palabra «gracias» es
la más bella del idioma
y tendríamos que usarla
sin reparo a todas horas.
Muestra tu agradecimiento
con aquellos que te apoyan
y recibirás a cambio
el cariño a tu persona.

Que la gratitud sea la almohada a la hora de recostarte
y la fe, el puente que pase por encima de la maldad.
Que ambas sean la entrada a lo bueno.

Maya Angelou (1928-2014)
Escritora, bailarina y artista estadounidense

20

OBEDIENCIA

A los niños obedientes
todo el mundo los adora.
Son dóciles y sumisos
y cumplen siempre las normas.
Aplícate la lección,
y no me seas berzotas.
Si obedeces de buen grado
serás una gran persona.

Obedeced más a los que enseñan que a los que mandan.
SAN AGUSTÍN (354-430)
Obispo y filósofo argelino

22

Emociones

ALEGRÍA

La alegría es tan hermosa
y radiante como un sol.
Llena el mundo de sonrisas,
felicidad y color.
Nada puede detenerte
si ella está en tu corazón.
Te ayuda a vencer las penas
y a vivir con buen humor.

Un día sin reír es un día perdido.

CHARLES CHAPLIN, CHARLOT (1889-1977)
Actor, guionista y director de cine británico

TRISTEZA

No dejes que la tristeza
se adueñe nunca de ti,
pues se te irán de repente
las ganas de sonreír.
Es un monstruo, y si te atrapa
ya no te deja vivir.
Mándala a freír espárragos
y entonces serás feliz.

¿Quién dijo que la melancolía es elegante?
Quitaos esa máscara de tristeza. Siempre hay motivo para cantar.
Siempre hay alguien al que amamos y que nos ama.

GLORIA FUERTES (1917-1998)
Poeta española

28

MIEDO

Cuando menos te lo esperas
aparece por la espalda
con los ojos espantados
y las alas desplegadas.
Se mueve como una sombra
terrorífica y malvada.
Algunos lo llaman miedo,
pero solo es un fantasma.

La persona que tiene miedo nunca será libre.

HORACIO (65-8 a. C.)
Poeta latino

ENFADO

La persona que se enfada
se pone ceñuda y fea,
y su cara se transforma
en una espantosa mueca.
Se le espeluznan los ojos.
Grita, llora, salta y truena.
¡No se te ocurra irritarte
ni aunque tengas diarrea!

El enfado no puede solucionar
ningún problema.
GRACE KELLY (1929-1982)
Actriz estadounidense

32

AMOR

El amor es la más dulce
de todas las emociones.
Mueve la rueda del mundo
y hace arder los corazones.
Con él harás lo imposible,
lo más bello y lo más noble.
Y recuerda que quien ama
es eternamente joven.

Donde hay amor, hay vida.
GANDHI (1869-1948)
Pensador y político hindú

34

VERGÜENZA

Si la vergüenza me atrapa
siento un vago cosquilleo,
y ondeo como una hoja
azotada por el viento.
Me quedo callado, sudo,
trabuco palabras, tiemblo.
Y me pongo colorado
como si fuera un pimiento.

No es una vergüenza tener la cara sucia;
la vergüenza es no lavársela nunca.
TRUMAN CAPOTE (1924-1984)
Periodista y escritor estadounidense

RENCOR

El rencor roe que roe,
como un ratoncillo feo,
la alegría que ilumina
tu corazón y tus sueños.
No le dejes que te muerda
y te inyecte su veneno.
Si trata de molestarte
pues lo mandas a paseo.

Abandonar el rencor, la rabia, la violencia y la venganza
son condiciones necesarias para vivir felices.

PAPA FRANCISCO (1936)
Obispo de Roma. Argentino.

38

CULPA

La culpa tiene una espina
dolorosamente aguda,
que se te clava en el alma
si haces una travesura.
Aunque está dentro de ti,
no sabes dónde se oculta.
Pincha y pincha sin parar
y te las pasas canutas.

Tenemos que dejar que la culpa nos recuerde
qué hemos hecho mal, para hacerlo mejor la próxima vez.

VERONICA ROTH (1988)
Escritora estadounidense

ABURRIMIENTO

Como un perro flaco y triste
el señor aburrimiento
se pasa el día tumbado
entre bostezo y bostezo.
No le apetece hacer nada,
suspira con desaliento.
Y cuanto menos se mueve,
es más gandul y más perro.

El aburrimiento se cura con curiosidad,
pero la curiosidad no se cura con nada.

DOROTHY PARKER (1893-1967)
Escritora estadounidense

ENVIDIA

Envidia cochina y tonta,
qué mala estrella te guía.
Tu música silenciosa
solo provoca desdicha.
Deja en paz mi corazón
y aléjate de mi vida,
porque me haces desgraciado
con tu ingrata compañía.

La envidia es una declaración de inferioridad.

Napoleón Bonaparte (1769-1821)
Emperador francés

Índice

Textos: © J. R. Barat
Ilustraciones: © Francesc Rovira

© Grupo Editorial Bruño, S. L., 2019
Juan Ignacio Luca de Tena, 15
28027 Madrid

Dirección Editorial: Isabel Carril
Coordinación Editorial: Begoña Lozano
Edición: Carmina Pérez
Diseño y maquetación: Gerardo Domínguez

ISBN: 978-84-696-2649-8
Depósito legal: M-460-2019

PAPEL DE FIBRA
CERTIFICADO

www.brunolibros.es